QUINO

Le club de Mafalda

EDITIONS Glénat

MAMAN! J'AI EU UN 20 EN GÉOMÉTRIE!!

BRAVO! MA CHÉRIE! MMMMCHUUUICK!

COMPLIMENTS! DÉTOURNEUSE DE MÈRE!

1601

BONJOUR, MADAME! JE VOUS APPORTE VOTRE COMMANDE!

ENTRE, MANOLITO. TOUT Y EST? BON... TRÈS BIEN...EUH...JE TE PAIERAI ÇA LA SEMAINE PROCHAINE D'ACCORD? MERCI!

BONJOUR, MADAME! JE VOUS APPORTE VOTRE COMMANDE.

ENTRE, MANOLITO. TOUT Y EST? BON... TRÈS BIEN...EUH...JE TE PAIERAI ÇA LA SEMAINE PROCHAINE D'ACCORD? MERCI!

JE VAIS FINIR PAR HAÏR MA TÉLÉPATHIE COMMERCIALE.

1602

1603

Y A UNE ÉPIDÉMIE DE ZE SAIS PAS QUOI! ZE VAIS ÊTRE MALADE! TOUT LE MONDE IL EST AU LIT!

MAIS IL NE SAIT PAS LIRE! QU'EST-CE QU'IL A BIEN PU VOIR DANS LE JOURNAL?

LA PUB POUR LES NOUVEAUX FILMS.

JOUER DEHORS? OH NON! RESTE DONC À LA MAISON! REGARDE UN PEU LA TÉLÉVISION!

BON! D'ACCORD!

TU VEUX QUE JE TE DISE, MAMAN? TES PARQUETS N'ONT PAS L'ÉCLAT RUSTIQUE DE LA CIRE "CERALUX"! "CERALUX"!

ET TES CHEVEUX, TERNES ET DESSÉCHÉS, N'ONT PAS LE GONFLANT NATUREL QUE SEUL "SHAMPOO-FLEUR" PEUT LEUR DONNER.

ET TES MAINS? ONT-ELLES LA DOUCEUR SATINÉE DE "CRÈME NACRÉE"? "CRÈME NACRÉE" EST IRREMPLAÇABLE PARCE QU'ELLE CONTIENT DU...

1604

AS-TU DÉJÀ PENSÉ QUE CES JEUNES QUI AUJOURD'HUI VIVENT SI MAL PARCE QUE LES ADULTES NE LEUR FONT PAS DE PLACE...

1605

SONT LES MÊMES QUI, DEMAIN, QUAND ILS SERONT ADULTES, NE NOUS FERONT PAS DE PLACE, À NOUS...

NON! JE N'Y AVAIS JAMAIS PENSÉ!

© QUINO

TOI QUI ES TOUJOURS EN TRAIN DE TE FAIRE DU SOUCI SUR LES MALHEURS DU MONDE, AS-TU DÉJÀ ENTENDU PARLER DE ADAM ET ÈVE?

OUI, BIEN SÛR! POURQUOI ÇA?

1606

EH BIEN, IL PARAÎT QUE C'EST LÀ QUE TOUT A COMMENCÉ. ET POUR UNE POMME, TU T'IMAGINES?

TU VOIS LA PAGAILLE QU'A DÉCLENCHÉ UNE PAUVRE PETITE POMME!

© QUINO

ALORS, SI ÇA AVAIT ÉTÉ UNE PASTÈQUE, JE TE DIS PAS!

1607

BONJOUR, MIGUELITO. QU'EST-CE QUE TU REGARDES DANS CETTE FLAQUE?

DANS CETTE EAU, JE GRAVAIS MON IMAGE...

AINSI, QUAND ELLE S'ÉVAPORERA, CHAQUE PETITE GOUTTE EMPORTERA UN PEU DE MOI DANS L'AIR DE LA VILLE...

ET QUAND LA MÉTÉO, ANNONCERA LE POURCENTAGE D'HUMIDITÉ, ON SAURA ALORS DE QUI ON PARLE.

© QUINO

1608

BONJOUR, FELIPE! QU'EST CE TU REGARDES DANS CETTE FLAQUE?

DANS CETTE EAU JE GRAVE MON IMAGE...

AINSI, QUAND ELLE S'ÉVAPORERA, CHAQUE PETITE GOUTTE EMPORTERA UN PEU DE MOI DANS L'AIR DE LA VILLE...

ET À PART ÇA, QU'EST-CE QUE TU FAIS D'INTÉRESSANT?

© QUINO

MMMMHHH!
GOÛTONS UN PEU!

ALORS? QU'EST-CE QU'IL DONNE MON FEUILLETÉ AUX POMMÈS?

HUM... BIEN... PAS MAL... D'OÙ TU SORS CETTE RECETTE?

DU JOURNAL.

C'ÉTAIT DONC ÇA! L'ARRIÈRE-GOÛT D'ENCRE!

BRAVO! IL A BIEN PARLÉ! BRAVO!

MERCI... MERCI...

MESSIEURS, LE PROBLÈME N'EST PAS DE CASSER LES STRUCTURES, MAIS DE SAVOIR CE QU'ON FAIT DES MORCEAUX!

¡CRACK!

MAMAN! QU'EST-CE QUE JE FAIS DE ÇA?

PUISQUE TOUT LE MONDE DIT QUE **PERSONNE** NE SAIT GOUVERNER

POURQUOI L'UNIVERSITÉ NE CRÉE-T-ELLE PAS UN DIPLÔME DE PRÉSIDENT?

COMME ÇA, IL Y AURAIT DES ÉTUDIANTS QUALIFIÉS, ET VOILÀ TOUT.

ET QUI EST-CE QUI FERAIT LES COURS?

TU VEUX UN BONBON À LA MENTHE? C'EST MON GRAND-PÈRE QUI M'EN A DONNÉ UN PAQUET. TU EN VEUX? ILS SONT À LA MENTHE.

5

Z'AI MAL AU PIED!

BIEN SÛR, GUILLE! TU AS MIS TES CHAUSSURES À L'ENVERS!

Z'AI MAL AU Z'AMOUR-PROPRE!

1613

UN SECTEUR DE L'ÉGLISE SE PRONON-CE SUR LE CÉLIBAT DES PRÊTRES.

QU'EST-CE QUE TU PENSES DU MARIAGE DES PRÊTRES SUSANI-TA? T'EN ÉPOUSERAIS UN, TOI?

MAIS QU'EST-CE QUE TU FABRIQUES AVEC TES BOUTONS? 14 À UNE SOUTANE! 9 À L'AUTRE! RECOUDS-LES TOI-MÊME!

NON. JE SUIS RESPECTUEUSE DE LEURS TÂCHES SPIRITUEL-LES ET JE NE VOUDRAIS PAS CONTRIBUER À LES ÉLOIGNER DU CÉLIBAT QU'ILS SE SONT ENGAGÉS À RESPECTER CHRE-TIENNEMENT.

1614

CHEZ LE MARCHAND DE JOUETS DE LA PLACE, IL Y A UN ROBOT À PILES... SUPERBE...

COMBIEN IL COÛTE?

QUAND IL MARCHE, IL Y A DES PE-TITES LUMIÈRES BLEUES, VERTES ET ROUGES QUI S'ALLUMENT PARTOUT... SUPERBE...

COMBIEN IL COÛTE?

J'EN SAIS RIEN, MAIS IL EST SUPERBE!

COMMENT PEUT-ON DIRE QU'UNE CHOSE EST SUPERBE SANS SAVOIR COMBIEN ELLE COÛTE?

1615

LA LA LALA, LALI LALA... LALALA LALALI LALARAIRE

MMMMCHUITTT...

SMMACK...

¡CHUIK! ¡CHUIK! ¡CHUIK! ¡CHUIK! ¡CHUIK!

MOI, AU JEU DES BIZOUS, JE CRAINS PERSONNE!

1616

OH! DES OUVRIERS!

CE QU'ILS SONT EN TRAIN DE FAIRE AVEC DES PLANCHES, ÇA DOIT ÊTRE UNE BARRICADE!

ET ILS METTENT UNE PANCARTE! PEUT-ÊTRE QUE C'EST LA RÉVOLUTION...

NON. JE VOIS MAL UNE RÉVOLUTION A' GRAND STANDING, AVEC DES DUPLEX ET DES GARAGES EN OPTION.

1618

ALORS, ON CHER-CHE SES RACINES NATIONALES?

NON! C'EST UNE FUITE DE GAZ!

COMME D'HABITUDE! ON SACRIFIE L'IMPOR-TANT A' L'URGENT.

1619

JE PARIE QUE LA PROCHAINE VOITURE SERA BLEUE.

ENCORE UNE DALTONIENNE!

1620

TA MÈRE VA A' LA MÊME BOUCHERIE QUE LA MIENNE, FELIPE.

AH BON?

OUI. ET PLUS D'UNE FOIS NOUS AVONS DÛ MANGER DE LA VIANDE DU MÊME BOEUF...

EH OUI! NOUS SOMMES COMPAGNONS DE BOEUF SANS LE SAVOIR.

DIRE QUE JOUR APRÈS JOUR, SEMAINE APRÈS SE-MAINE, MOIS APRÈS MOIS, NOUS AVONS MÂCHÉ LE MÊME BOEUF EN ÉQUIPE!

SI CE SOIR, IL N'Y A PAS UN SOUFFLÉ AU POTIRON OU UN TRUC COMME ÇA, FAUT PAS COMPTER SUR MOI...

EN FIN DE COMPTE, L'HUMANITÉ N'EST RIEN QU'UN SANDWICH AU JAMBON ENTRE LE CIEL ET LA TERRE

SALUT, PESSIMISTE! QU'EST-CE QUI VA MAL?

COMMENT VONT LA POLITIQUE, LES GUERRES, LES INJUSTICES SOCIALES ET TOUTES CES CALAMITÉS DONT TU TE NOURRIS?

ET L'AVENIR, COMMENT TU LE VOIS? NOIR COMME DU PÉTROLE OU COMME DE LA POUDRE À CANON?

ALLEZ! AU REVOIR! JE VAIS SURVIVRE UN PEU AVANT QUE L'HUMANITÉ NE TOMBE EN POUSSIÈRE!

C'EST TOI LA PESSIMISTE! JE NE CROIS PAS QUE LES CHOSES AILLENT SI MAL QU'ON SOIT OBLIGÉ DE LES PRENDRE À LA BLAGUE!

L'APPAREIL DIGESTIF DE L'HOMME COMPREND: LA BOUCHE, LE PHARYNX, L'ŒSOPHAGE, L'ESTOMAC, LE GROS INTESTIN, NON PARDON, L'INTESTIN GRÊLE, ET LE GROS INTESTIN. LES PAROIS DE L'ESTOMAC SÉCRÈTENT DES...

BIEN, FELIPE, TRÈS BIEN. JE VOIS QUE TU AS BIEN APPRIS TA LEÇON. RETOURNE T'ASSEOIR.

MAIS NON! AVANT TOI, CE N'ÉTAIT PAS DES FIANCÉS! C'ÉTAIT SEULEMENT DES SIMULATIONS EN GRANDEUR RÉELLE!

ÉVIDEMMENT, RESTE À SAVOIR SI MON MARI ACCEPTERA L'ARGUMENT TECHNOLOGIQUE.

Row 1

1625

 MES PARTI- TIONS!

MES TREIZE ANS! MADA- ME GIAMBARTOLI! LA PAUVRE! ELLE CROYAIT QUE JE SERAIS UNE GRANDE PIANISTE!

LA PAUVRE?

Row 2

1626

 ?

LA GARANTIE NE COU- VRE PAS LES PANNES DUES À UNE MAUVAISE UTILISATION DE L'APPA- REIL, AUX CHUTES OU À TOUT FACTEUR EXTERNE AUQUEL IL POURRAIT ÊTRE EXPO- SÉ...

APRÈS LA PÉRIODE DE SIX MOIS QUE COUVRE LA GARANTIE, LA SOCIÉ- TÉ N'EST RESPONSABLE D'AUCUNE DÉFAILLANCE OU VICE DE FABRICATION QUI POURRAIT AFFEC- TER L'APPAREIL.

ATTENTION! LES PILES USÉES PEUVENT ATTA- QUER DANGEREUSE- MENT DES PARTIES VI- TALES DE L'APPAREIL. IL EST RECOMMANDÉ DE LES CHANGER FRÉ- QUEMMENT POUR ÉVI- TER TOUTE AVARIE IRRÉPA- RABLE.

SYMPATHIQUE, LE BULLETIN DE GARAN- TIE! PRESQUE AUSSI SOMBRE QUE LE BUL- LETIN D'INFORMATIONS QUE TU DIFFUSES CHAQUE JOUR!

Row 3

SOIS SAGE! SOIS SAGE! ON NE PEUT PAS ÊTRE TOUJOURS SAGE!

1627

TOUS LES ENFANTS DU MONDE SONT DES FOIS SAGES, DES FOIS PAS SAGES!

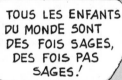

AH BIEN SÛR! VOULOIR ÊTRE LES PARENTS D'UN ENFANT QUI N'EST JAMAIS PAS SAGE, C'EST COMMODE!

VOULOIR ÊTRE LES PARENTS D'UN EN- FANT QUI NE VOUS DONNE AUCUN MAL, C'EST FACILE!

MAIS C'EST ANTISPORTIF! MOI, JE VOUS LE DIS!

Row 4

L'ESCALADEUSE HÉROÏQUE EST SUR LE POINT D'ATTEINDRE LE SOMMET.

1628

À CETTE ALTITUDE, LE MANQUE D'OXYGÈNE REND LA RESPIRA- TION PÉNIBLE.

MAIS FINALE- MENT, ELLE TRIOMPHE.

L'HÉROÏQUE ESCA- LADEUSE REVIENT DANS LA VALLÉE. LES JOURNALISTES L'ASSIÈGENT.

JE PROFITE DE L'OC- CASION QUI M'EST DONNÉE POUR RE- MERCIER LES AUTO- RITÉS D'AVOIR RENDU POSSIBLE CETTE MERVEILLEUSE AVENTURE.

?

9

LA DAME VOUDRAIT QUE TU LUI FASSES UN PETIT BAISER, GUILLE. TU NE VEUX PAS?

¡CHUIK!

QUEL AMOUR! ON VOIT BIEN QU'IL EST AFFECTUEUX!

ACHETER UNE GLACE?

OUAIS!

AUJOURD'HUI, C'EST À LA RÉVOLUTION QU'IL FAUT PENSER! PAS AUX GLACES!

L'HEURE EST AUX RÉALITÉS, PAS AUX CRÈMES GLACÉES!

L'HEURE EST AUX...

©QUINO

UNE DÉVIATION DE VANILLE ET PISTACHE, S'IL VOUS PLAÎT.

UNE FOIS ENCORE, NOUS ALLONS FAIRE VIBRER LE PAYS GRÂCE AU PLUS POPULAIRE DES SPORTS:

LE DÉNIGREMENT?

LE FOOTBALL. SUR LE STADE DE-

AH

SERVICE MILITAIRE OBLIGATOIRE POUR LES FEMMES SUISSES. BERNE-LA SUISSE EST EN TRAIN D'ORGANISER UN SERVICE MILITAIRE OBLIGATOIRE POUR LES FEMMES DE PLUS DE DIX-HUIT ANS...

PAUVRES SUISSESSES! FAUT QUE ÇA TOMBE JUSTEMENT SUR ELLES, DANS LE PAYS DES MONTRES, DU CHOCOLAT, DES BOÎTES À MUSIQUE, DE LA NEUTRALITÉ...

...ET DE LA SOUPE EN CUBES! BIEN FAIT POUR ELLES!

BONJOUR, MIGUELITO. IL Y A QUELQUE CHOSE À LA TÉLÉ?

JE VIENS DE L'ALLUMER.

1633

MAIS IL SEMBLE QUE SI D'ABORD TU METS DU DÉSODORANT, QU'ENSUITE TU MANGES QUELQUES SAUCISSES ET QU'ENFIN TU T'ACHÈTES UNE MACHINE À LAVER, IL FAUT QUE TU SOIS TARÉ POUR NE PAS ÊTRE HEUREUX.

©QUINO

HIER SOIR, J'AI ÉTERNUÉ DEUX FOIS.

1634

DEVINE QUI EST VENU ME DEMANDER SI J'AVAIS ATTRAPÉ FROID, QUI M'A MIS LA MAIN SUR LE FRONT ET A REGARDÉ MA GORGE, HEIN? C'ÉTAIT QUI?

MON PAPA!

GNA GNA GNA... TU VOIS BIEN QUE TU N'ES PAS FILLE UNIQUE!

©QUINO

1635

QU'EST-CE QUI SE PASSE, MAFALDA? QU'EST-CE QUE TU REGARDES?

POURQUOI? QU'EST-CE QU'IL A?

LE CIEL, MANOLITO!

RIEN. JE TROUVE ÇA BEAU DE REGARDER LE CIEL.

ÉVIDEMMENT C'EST UNE MANIÈRE BLEUE DE PERDRE SON TEMPS. MAIS QU'EST-CE QUE ÇA A DE BEAU?

DES KILOMÈTRES DE FILMS QU'ON NE NOUS LAISSE PAS VOIR PARCE QU'ON EST TROP PETITS...

1636

DES MILLIERS DE CONVERSATIONS QU'ON NE NOUS LAISSE PAS ÉCOUTER PARCE QU'ON EST TROP PETITS.

DES TONNES DE LIVRES QU'ON NE PEUT PAS LIRE PARCE QU'ON EST TROP PETITS.

ET ON VA ASSISTER BRAS CROISÉS À CETTE VAGUE DE TROP-PETITISME SANS QUE PERSONNE NE LÈVE LE PETIT DOIGT?

TON DEVOIR EST DE SUIVRE TOUJOURS LE CHEMIN DU BIEN.

NORMAL! PARCE QUE SUR L'AUTOROUTE DU MAL, IL DOIT Y AVOIR DES ENCOMBREMENTS!

RACISTES!

TU TE SOUVIENS MANOLITO? EN JANVIER, NOUS PENSIONS QUE PEUT-ÊTRE CETTE ANNÉE VERRAIT LA FIN DES CONFLITS, QUE TOUT S'ARRANGERAIT ET QUE L'ANNÉE SE TERMINERAIT MIEUX QU'ELLE N'AVAIT DÉBUTÉ...

OUI ET ALORS?

D'ICI À LA FIN DE L'ANNÉE, IL NOUS RESTE DEUX SEMAINES D'ESPOIR, DE DOUTE, DE SUSPENSE POUR SAVOIR.

POUR SAVOIR QUOI?

SI ON AVAIT OUI OU NON RAISON. TU N'ES PAS MORT DE CURIOSITÉ, TOI?

SENS DE L'HUMOUR! BOUTIQUE DON MANOLO!

POU ZETTE TORTUE, ZE DOIS ÊTRE UNE EZBÈCE DE GÉANT

UN GÉANT GOLOSSAL, ÉNORME.

ESSTRAORDINAIRE...

!?

UNE EZBÈCE...

JE VIENS DE M'APERCEVOIR QUE LES BANDES DESSINÉES QUE M'AVAIT PRÊTÉES FELIPE, JE LES AI MISES AU FEU AVEC LES VIEUX JOURNAUX.

1641

QUELLE IDIOTE, MON DIEU! FELIPE! JUSTEMENT LUI, QUI EST SI GENTIL!

ET ALORS SUSANITA, QU'EST-CE QUE TU VAS FAIRE?

LUI JURER QUE JE LES LUI AI RENDUES, ÉVIDEMMENT! TU VOUDRAIS QU'EN PLUS DES BANDES DESSINÉES, JE PERDE LA FACE?

©QUINO

PAPA! TU CROIS QUE LE PÈRE NOËL IL EST RICHE, CETTE ANNÉE?

C'EST-À-DIRE QUE...POURQUOI?

1642

PARCE QUE JE VOUDRAIS PASSER MA COMMANDE. TU AS DU PAPIER ET UNE ENVELOPPE?

EUH...OUI... JE T'APPORTE ÇA.

©QUINO

OH FELIPE! CE SERAIT MERVEILLEUX DE TISSER ENSEMBLE NOS DEUX VIES!

1643

ÇA DÉPEND A' QUEL POINT...

IMBÉCILE!

©QUINO

CETTE SEMAINE, DANS LA REVUE "IMPACT", UN ARTICLE PASSIONNANT "LE SEXE EST-IL TABOU?"

1644

QU'EST-ZE QUI ZONT DIT QUE... QUOI EST QUOI?

©QUINO

13

MON PÈRE PENSE QU'ON DEVRAIT ÊTRE PLUS GÉNÉREUX ET AVOIR UN PRÉSIDENT ÉTRANGER.

ÉTRANG... TU N'AS PAS DIT À TON PÈRE QU'IL ÉTAIT FOU ?

OH SI !

MAIS IL PENSE QUE C'EST DE LA CRUAUTÉ MENTALE DE DONNER À QUELQU'UN D'ICI UN POSTE QUI NE LUI PERMETTE PAS DE CRITIQUER LE GOUVERNEMENT.

J'ESPÈRE BIEN !

OUI ! MOI AUSSI !

LES GENS ESPÈRENT QUE L'ANNÉE QUI COMMENCE SERA MEILLEURE QUE CELLE QUI FINIT.

MOI, JE PARIERAIS QUE L'ANNÉE QUI COMMENCE ESPÈRE QUE CE SONT LES GENS QUI SERONT MEILLEURS !

MAFADDA !

QUAND UN PAYS EST USÉ, OÙSQU'ON LE JETTE ?

JE NE SUIS PAS ENCORE UN JEUNE DE QUARANTE ANS ET JE SUIS DÉJÀ UN VIEUX DE TRENTE-NEUF.

14

CHEZ MOI, C'EST TOUJOURS LA MÊME HISTOIRE: UNE FOIS SUR DEUX LA MACHINE À LAVER EST EN PANNE.

LE TECHNICIEN VIENT L'ARRANGER ET MAMAN S'EXCLAME: "C'EST DE LA FOLIE! VOUS ME PRENEZ CHAQUE FOIS UN PEU PLUS CHER!" ET L'AUTRE LUI RÉPOND: "QUE VOULEZ-VOUS QUE J'Y FASSE? C'EST LA VIE!" ET ILS FINISSENT PAR PARLER DE TOUT CE QUI NE VA PAS.

LE PROBLÈME, C'EST QUE CHAQUE FOIS QUE JE METS UNE ROBE PROPRE, J'AI L'IMPRESSION QU'IL Y A LE MOT CRISE ÉCRIT DESSUS.

ICI LES

SONT TOUS PAREILS: DU BLA-BLA EN VEUX-TU EN VOILÀ!... MAIS AUCUN NE PROPOSE DE SOLUTION!

DES SOLUTIONS, ILS EN PROPOSENT TOUS, MAIS IL N'Y EN A PAS UNE QUI TIENNE DEBOUT!

DE LA SOUPE EN ÉTÉ! EN VOILÀ UNE IDÉE DE FAIRE DE LA SOUPE EN ÉTÉ! IL N'Y A QUE TOI POUR FAIRE DE LA SOUPE EN ÉTÉ!

N'EST-CE PAS QUE JE SUIS ORIGINALE?

UNE CUILLERÉE POUR AVOIR DONNÉ DES ARGUMENTS À L'ENNEMI... UNE CUILLERÉE POUR ÊTRE STUPIDE. GLOUP! UNE CUILLERÉE POUR N'AVOIR PAS LE SENS DE LA RÉPARTIE. GLOUP! UNE...

© QUINO

JE COMMENCE À CROIRE QUE LES ADULTES SONT UN PEU LÉGERS À PROPOS DE NOTRE ÉDUCATION.

UN PEU LÉGERS?

OUI. ILS T'APPRENNENT CE QUI EST BIEN ET CE QUI EST MAL.

ET ENSUITE, ILS TE LAISSENT TE DÉBROUILLER TOUT SEUL POUR DÉCOUVRIR CE QU'IL PEUT Y AVOIR DE BIEN DANS LE MAL ET DE MAL DANS LE BIEN.

© QUINO

ET VOUS, VOUS PARTEZ BIENTÔT EN VACANCES?

ON NE SAIT PAS ENCORE, LIBERTÉ.

NOUS, ON PART QUATORZE JOURS, MAIS NOUS NE SAVONS PAS SI CE SERA RÉELLEMENT QUATORZE JOURS.

POURQUOI?

PARCE QUE NOUS AVONS DE L'ARGENT POUR DEUX SEMAINES, MAIS NOUS NE SAVONS PAS SI CET ARGENT SUFFIRA RÉELLEMENT POUR DEUX SEMAINES, TU COMPRENDS?

OUI, BIEN SÛR, JE COMPRENDS.

MOI AUSSI.

TU NE TROUVES PAS QUE C'EST TRISTE QU'ON COMPRENNE?

1653

LE PEUPLE AU POUVOIR

U.J.R.

C'EST ÇA! POURQU'ENSUITE LE POUVOIR SOIT PLEIN DE PAPIERS GRAS, DE CANETTES DE BIÈRE, DE CORNETS DE FRITES ET DE TACHES DE GRAISSE!

1654

1655

QU'EST-CE QUI SE PASSE?

RIEN. J'AI CRU QUE L'IMBÉCILE SE PAYAIT MA TÊTE.

WOUAH! QU'EST-CE QU'IL FAIT CHAUD!

BOUÎ!

ZÉ LA FAUTE AUX DÉPUTÉS, NON?

NON, GUILLE! C'EST LA FAUTE A' L'ÉTÉ!

AH

LE PAUVRE NE SAIT PAS ENCORE TRÈS BIEN FAIRE LE PARTAGE DES RESPONSABILITÉS.

1656

¡BROOOOMM! ¡BROOOOMM! ¡BRUUM

POURQUOI FAUT-IL QUE LES ORAGES D'ÉTÉ SOIENT AUSSI EXHIBITIONNISTES?

© QUINO

¡MMMMMMMMM HHH! SINGING IN THE RAIN...

TU VAS T'ENRHUMER! POURQUOI TU NE RENTRES PAS CHEZ TOI?

C'EST COMME ÇA QU'ON ATTRAPE MAL. APRÈS, IL FAUT LES SOIGNER. ET S'OCCUPER D'EUX!

IL NE MANQUAIT PLUS QUE ÇA: DES COMMANDOS PARAMATERNELS.

© QUINO

À DIRE VRAI, ÊTRE PETIT, ÇA A AUSSI DES AVANTAGES. BIEN SÛR.

ON N'A PAS BESOIN DE TRAVAILLER... POUR LA SANTÉ, LES PARENTS S'EN OCCUPENT...

ET EN PL...

SI ON ALLAIT SE TAIRE CHEZ MOI?

© QUINO

Z'EST QUOI ZE MACHIN PLEIN DE TUBES?

C'EST LA PHOTO D'UNE USINE À GAZ. À GAZ? OUI. LE GAZ DE L'ÉTAT.

ET L'ÉTAT, IL Z'EN SERT POU GONFLER QUI?

POUR GONFLER PERSONNE, GUILLE! C'EST LE GAZ DONT ON SE SERT À LA MAISON. AAH!

JE LUI AI BIEN DIT LA VÉRITÉ, NON?

© QUINO

17

TU ME DONNES UN MORCEAU DU JOURNAL, PAPA?

TIENS.

MERCI.

LA PENSÉE D'AUJOURD'HUI: "PLUS JE CONNAIS LES HOMMES, PLUS J'AIME MON CHIEN" diogène.

MAIS...

QU'EST-CE QUE C'EST QUE C'EST QUE CE JOURNALISME À LA NOIX? ET L'OPINION DU CHIEN ALORS?

TU SERAIS MARY, LA FILLE QUI A HÉRITÉ DU "RODEO RANCH" AVEC CENT MILLE TÊTES DE BÉTAIL.

O.K.

TU SERAIS PETE JOE. TU AURAIS RÉUSSI À DÉPOUILLER MARY DU "RODEO RANCH".

VÉRIQUEL.

MOI, JE SERAIS LE SHÉRIF QUI DÉCOUVRE LE POT AUX ROSES. APRÈS UNE FUSILLADE, JE TE TIRERAIS DE TON REPAIRE. C'EST D'ACCORD?

RENDS-TOI, PETE! BANG! BANG! BANG! BANG!

ENFIN LA JUSTICE VA ME RENDRE MON BIEN ET PETE JOE

AURA CE QU'IL MÉRITE.

CE NE SERA PAS SI FACILE, MARY: LE REPAIRE ET LE "RODEO RANCH" ONT ÉTÉ ACQUIS PAR UN PRÊTE-NOM.

M... MAIS... LE PRÉCIPICE, MIGUELITO! ATTENTION! PAR PITIÉ!

JE RISQUE DE LE CASSER?

PENDANT QUE TOUT LE MONDE EST TRANQUILLEMENT EN VACANCES...MA COUSINE, MA PAUVRE COUSINE MABEL!

QU'EST-CE QU'ELLE A SUSANITA?

IL FALLAIT QUE ÇA LUI ARRIVE MAINTENANT!

ELLE NE MÉRITAIT PAS ÇA, AH NON ALORS!

C'EST GRAVE?

GRAVE, TU DIS?

NEUF ANS ET DÉJÀ DIVORCÉE DE SON APPENDICE! C'EST TROP!

CET APRÈS-MIDI, J'ACHÈTE UNE CARTE POSTALE ET JE L'ENVOIE.

Chère Mafalda.. De ces plages enchanteresses, je...

1665

NON, ÇA FAIT VULGAIRE...

Chère Mafalda
....

CHÈRE MAFALDA, QUOI?

IL VAUT MIEUX QUE J'Y PENSE CE SOIR, CALMEMENT, À L'HÔTEL.

APRÈS TOUT, JE SUIS ARRIVÉ AUJOURD'HUI, IL N'Y A PAS DE TEMPS PERDU...DEMAIN MATIN.

COMMENT? TU N'AS RIEN REÇU?... LA POSTE, C'EST N'IMPORTE QUOI, VRAIMENT!!!

AAHH! PLUS QUE QUELQUES JOURS, ET NOUS PARTONS EN VACANCES!

POURQUOI?

1666

QUELLE QUESTION: POUR SE REPOSER, GUILLE! SE RE-PO-SER!!!

MAFADDA! DE QUOI ON EST FATIGUÉS!

1667

1668

TOUTE L'EAU QUI Y A PAS! QUI Z'EST QUI A OUBLIÉ DE FERMER UN ROBINET?

OUI, ÉVIDEMMENT... MAIS QUEL EST LE RÉGIME QUI FAIT RÉELLEMENT MAIGRIR ?

J'EN CONNAIS QUI ONT L'AIR EFFICACE. MAIS IL VAUT MIEUX NE PAS GÂCHER LEURS VACANCES EN LEUR PARLANT POLITIQUE.

C'EST PAS CE QU'ON APPELLE UN ABUS DE POUVOIR ?

FAUT PAS VOUS ZÊNER !!!

Y A DES NUAGES, ON NE ZAIT PAS OÙ Y ZONT ÉTÉ ÉLEVÉS !

20

L'INSPECTEUR CARSON DE SCOTLAND YARD MORDILLA SA ELLE EST BIEN ROULÉE LA PETITE DE SCOTLAND YARD MORDILLA SA PIPE ET CE GROS QUI S'ARRÊTE JUSTE DEVANT.

L'INSPECTEUR CARSON DE SCOTLAND YARD MORDILLA SA PIPE ET VOILÀ LE GROS QUI S'EN VA ELLE EST SUPERBE PECTEUR CARSON DE SCOTLAND YARD MORDILLA T'AS VU LE BIKINI QU'ELLE PORTE L'INSPECTEUR CARSON DE SCOTLAND BRONZÉE ÇA Y EST ELLES S'EN VONT AVEC SA PIPE ET REGARDA PAR LA FENÊTRE.

ELLES S'EN VONT OU PAS? CARSON DE SCOTLAND YARD MORDILLA ELLES PARTENT C'EST BÊTE, ELLE ÉTAIT MIGNONNE... ENFIN...

L'INSPECTEUR CARSON DE SCOTLAND YARD MORDILLA SA PIPE ET REGARDA PAR LA FENÊTRE...

MAIS JE...

C'EST MALIN! JE L'AI DÉJÀ LU, CE POLAR.

QU'EST-CE QUE TU FAIS?

RIEN. JE VOULAIS SAVOIR CE QU'ON RESSENT QUAND ON EST UNE FILLE SEXY.

JE PEUX ME DÉCOUVRIR? TU NE VAS PAS TE REMETTRE POUR LA CENTIÈME FOIS À COMPTER LES JOURS POUR T'ASSURER QUE LES VACANCES SONT BIEN FINIES?

PSSTT! PAPA A LE DOS QUI PÈLE! POURQUOI?

C'EST LE SOLEIL, GUILLE! QUE VEUX-TU QUE CE SOIT?

ZE SAIS PAS, MOI, LA MAUVAIZE QUALITÉ...

JE ME SUIS MIS À IMAGINER QUE LE SOL N'EXISTE PAS ET QUE JE SUIS DEBOUT DANS L'AIR.

ET ALORS?

1681

ALORS JE NE COMPRENDS PAS POURQUOI JE NE TOMBE PAS!

TRÈS SIMPLE: SI LE SOL N'EXISTE PAS, OÙ VOUDRAIS-TU TOMBER?

CE QUE C'EST QUE D'ÊTRE RÉALISTE!

ET TOUT ÇA, POUR UNE MISÉRABLE RETRAITE!

EH OUI!

1682

LES RETRAITÉS DEVRAIENT DÉCLENCHER UNE BONNE GRÈVE. PARFAITEMENT. POUR TOUS LES RETRAITÉS, GRÈVE ILLIMITÉE DANS TOUT LE PAYS. ET SANS CONCESSION.

MAIS IL NE SE PASSERAIT RIEN, LIBERTÉ.

TU CROIS ÇA? LE GOUVERNEMENT SERAIT OBLIGÉ DE FAIRE APPEL À LA TROUPE POUR REMPLACER LES RETRAITÉS, LES SOLDATS DEVRAIENT LIRE LE JOURNAL SUR LES BANCS PUBLICS, MAL TRAVERSER LES RUES, RÂLER CONTRE LES JEUNES!...

ET QUI REMPLACERA LES GRANDS-PARENTS? TU CROIS QUE CE SERAIT SUPPORTABLE D'AVOIR CHEZ SOI UN PARACHUTISTE QUI FAIT LE GRAND-PÈRE, HEIN?

1683

ATCHOUM!

À TES SOUHAITS!

OUF! S'IL M'AVAIT DIT MERCI, IL NE ME RESTAIT PLUS QU'À CASSER MA TIRELIRE POUR PAYER LE PSYCHANALYSTE.

1684

V'MMMMMH? ELLE EST BELLE MA TORDUE!

NON, GUILLE! PAS TORDUE: *TORTUE*

TORDUE?

NON, NON.

TORTUE.

TORTURE?

MAIS NON. ESSAIE ENCORE UNE FOIS:

TORTTTUE

ET SI ZE LUI FICHAIS UN COUP DE PIED?

ENCORE HEUREUX QUE LES SCÉNA-RISTES DE FEUILLETONS TÉLÉVISÉS ONT LA DÉLICATESSE DE NE PAS NOUS MONTRER LES HÉROS EN PLEIN DRAME PASSIONNEL QUAND-PAR DESSUS LE MARCHÉ-ILS REÇOIVENT LA NOTE D'ÉLECTRICITÉ, DU GAZ, DU TÉLÉPHONE, DES ASSURANCES, DES IMPÔTS, DU LOYER...

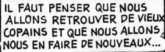

ALLONS, FELIPE! NE TE BILE PAS! IL FAUT RE-GARDER LE CÔTÉ POSITIF DE LA RENTRÉE DES CLASSES!

IL FAUT PENSER QUE NOUS ALLONS RETROUVER DE VIEUX COPAINS ET QUE NOUS ALLONS NOUS EN FAIRE DE NOUVEAUX...

...DANS L'AMBIANCE JOYEUSE DES RÉCRÉA-TIONS. C'EST VRAI. TU AS RAIS... QUOI? T'AVAIS ÉCRIT TOUT ÇA SUR UN PAPIER?

OUAIS! ET JE NE TE DIS PAS LE MAL QUE ÇA M'A DONNÉ! J'AI RAMÉ COMME UNE BÊTE, POUR TROUVER CES TROIS MAL-HEUREUX ARGUMENTS DE MERDE!

CE QU'IL Y A DE BIEN LES PREMIERS JOURS, C'EST QUE LA MAÎTRES-SE NE CONNAÎT PAS ENCORE TOUS LES ÉLÈVES.

POUR ELLE, EN CE MO-MENT, NOUS SOMMES TOUS PLUS OU MOINS ÉGAUX. IL N'Y A NI BONS, NI MAUVAIS, NI RIEN.

ELLE POURRAIT MÊ-ME PENSER QUE JE POURRAIS RÉUSSIR À ÊTRE LE PREMIER DE LA CLASSE.

QUELLE IDIOTE! MOI! MOI LE PREMHA! AH! AH! DE LA CLAAH! AH!

CHUT! NOUS AVONS RÉUSSI À NOUS APPROCHER DU CAMPEMENT COMANCHE SANS ÊTRE DÉCOUVERTS.

FELIPE! JE PENSAIS A' UNE CHOSE... PUISQU'ON A DES ARMES, ON POURRAIT ARRÊTER CE JEU IDIOT ET JOUER A' LA RÉVOLUTION, NON?

IL SE PREND POUR LE ROI DU BUREAU! IL CROIT QU'ON EST TOUS A' SA DISPOSITION! IL CR...

ET BIEN MOI, A' TA PLACE, J'IRAIS LUI METTRE UN PAIN DANS LA GUEULE.

TU VAS TE TAIRE! QU'EST-CE QUE TU COMPRENDS A' TOUT ÇA?

MOI, RIEN. ET TOI?

BIEN SÛR QUE JE COMPRENDS!

A' QUOI ÇA TE SERT DE COMPRENDRE SI TU NE PEUX PAS LUI METTRE UN PAIN DANS LA GUEULE?

VOYONS LES POINTS CARDINAUX. LE SOLEIL SE LÈVE A'...

L'AUBE.

MAIS NON! L'AUBE N'EST PAS UN POINT CARDINAL!

POUR LE SOLEIL C'EST PAREIL! DU MOMENT QU'IL SE LÈVE...

BON. DE QUEL CÔTÉ IL SE LÈVE?

DU CÔTÉ DU LIVING-ROOM.

ÇA, C'EST CE QUE TU VOIS DE CHEZ TOI!

VOUS SAVEZ, A' MON ÂGE, JE N'AI GUÈRE LA POSSIBILITÉ DE VOIR LE SOLEIL SE LEVER AILLEURS.

RETOURNE A' TA PLACE, S'IL TE PLAÎT.

DOMMAGE. CETTE CONVERSATION ÉTAIT PASSIONNANTE.

BONJOUR, MANOLITO, POURQUOI FAIS-TU CETTE TÊTE?

TU TE SOUVIENS QUE JE DISAIS QUE CE QU'IL Y A DE BIEN DANS LES PREMIERS JOURS DE CLASSE, C'EST QUE LA MAÎTRESSE NE CONNAÎT PAS TOUS LES ÉLÈVES?

OUI.

ET QUE POUR ELLE, NOUS SOMMES ENCORE TOUS ÉGAUX, SANS BONS, NI MAUVAIS, NI RIEN?

OUI.

EH BIEN! AUJOURD'HUI, ELLE A CORRIGÉ MA PREMIÈRE DICTÉE...FINIE LA DÉMOCRATIE!

1693

MAFALDA, TU VEUX ALLER ACHETER DU PAIN?

À LA SUEUR DE MON FRONT? J'Y VAIS.

D'OÙ ÇA VIENT CE "TU GAGNERAS TON PAIN A' LA SUEUR DE TON FRONT"?

C'EST DIEU QUI L'A DIT A' ADAM.

AH.

JE ME TROMPE, OU L'INVASION DES DÉSODORANTS CORRESPOND A' L'ÉPOQUE OÙ CHACUN A DÛ ALLER GAGNER SA MACHINE A' LAVER, SA VOITURE, SA CHAÎNE HI-FI, SON QUATRE PIÈCES CUI...

© QUINO

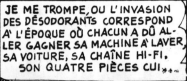

1694

QUAND JE SERAI GRAND, JE SERAI CHEF. JE NE SAIS PAS DE QUOI MAIS JE SERAI CHEF!

ALORS, ÇA VIENT?

OUI...BON... J'Y VAIS...

© QUINO

ENFIN...

1695

BON. SOYONS SÉRIEUX ET FAISONS NOTRE DEVOIR DE GÉOMÉTRIE.

QUESTION: "QUAND UN TRIANGLE EST-IL ISOCÈLE?"

QUAND LE KID FELIPE ARRIVE A' TEMPS POUR EMPÊCHER JOE LA CAROGNE D'ENLEVER L'HYPOTÉNUSE.

IL A ENCORE FALLU QUE JE ME LAISSE INFLUENCER PAR MOI!

© QUINO

1696

© QUINO

AUJOURD'HUI, J'AI ÉTÉ FAIRE LES COURSES AVEC MA MÈRE. MON DIEU! ON AURAIT DIT QUE CE PAUVRE PORTE-MONNAIE AVAIT LA DIARRHÉE!

ILS PARLENT DE L'ÉSPERANTO. QU'EST-CE QUE C'EST QUE CETTE BÊTE-LA'?

C'EST UNE LANGUE UNIVERSELLE.

AH! BOUM?

AH! MOI, CE QUI ME PLAIRAIT, CE SERAIT D'APPARTENIR A' LA SOCIÉTÉ.

NOUS APPARTENONS TOUS A' LA SOCIÉTÉ, SUSANITA!

TU NE COMPRENDS PAS! JE TE PARLE DES GENS QUI ONT UN NOM!

NOUS AVONS TOUS UN NOM, SUSANITA!

MAIS NON! IDIOTE! CEUX QUI TIENNENT LA POÊLE PAR LA QUEUE!

ALLEZ! VAS-Y! DIS-LE! "NOUS TENONS TOUS LA POÊLE PAR LA QUEUE, SUSANITA"! ALLEZ! VAS-Y! DIS-LE!

ET VOICI TERMINÉE LA PREMIÈRE ÉMISSION DE CETTE SÉRIE INTITULÉE: "CHAQUE FOYER, UN MONDE".

LA BELLE TROUVAILLE! A' MOINS QUE CE NE SOIT UNE CAMPAGNE POUR DÉNIGRER LES FOYERS.

LES FOURMIS VIVENT AUJOURD'HUI EXACTEMENT COMME ELLES VIVAIENT IL Y A DES MILLIERS D'ANNÉES. AUSSI FRINGANTES.

L'HUMANITÉ, ELLE: BEAUCOUP D'ÉVOLUTION, BEAUCOUP DE TECHNIQUE, BEAUCOUP DE SCIENCE ET DE PLUS EN PLUS DE PROBLÈMES.

C'EST TRÈS VRAI CE QUE TU VIENS DE DIRE. TELLEMENT VRAI, QUE ÇA NE SERT ABSOLUMENT A' RIEN.

1701

Z'EST PAS CROY-ABLE TOUT ZE QU'IL PEUT Y AVOIR DANS UN CRAYON!

1702

LES LIVRES POUR ENFANTS NE SONT PAS ÉCRITS PAR DES ENFANTS MAIS PAR DES ADULTES!

C'EST UN SCANDALE!

LES JOUETS NON PLUS, NI LES BONBONS, NI LES HABITS, NI RIEN DE CE QUI EST POUR NOUS, N'EST FAIT PAR NOUS, MAIS PAR LES ADUL-TES!

IL NOUS EXPLOITENT!

POURQUOI SOMMES-NOUS OBLIGÉS DE SUPPOR-TER CELA?

C'EST VRAI. POURQUOI?

TOUT SIMPLEMENT PARCE QUE, NOUS NON PLUS, NOUS NE SOMMES PAS FAITS PAR NOUS-MÊMES, MAIS PAR LES ADULTES. RIEN A' FAIRE.

JE SUIS TROP SINCÈRE POUR ÊTRE UN POLITI-QUE.

1703

LES PRINCIPAUX FLEUVES DU MONDE! A' QUOI ÇA SERT D'APPRENDRE LES PRINCIPAUX FLEUVES DU MONDE?

TOUT ÇA, A' CAUSE DE CETTE SALE MANIE DE VOULOIR DONNER DES NOMS A' TOUT CE QUI EXISTE!

ON A PASSÉ TOUTE LA JOUR-NÉE D'HIER A' ÉTUDIER! ET POURQUOI? AH! OUI, JE SAIS! CULTURE PAR CI, CULTURE PAR LA'!

MAIS DEMAIN, A' QUOI ÇA ME SERVIRA D'AVOIR AP-PRIS QUE L'EVEREST EST NAVIGABLE?

1704

GGGGGGG LA LA! FOMIDABLE!

A' QUI TU VEUX FAIRE CROIRE QUE TU SAIS LIRE, GUILLE?

Z'AI DE L'IMAGINATION, HEIN? ZE PEUX M'IMAGINER QUE LE ZOUNAL RA-CONTE ZE QUI ME PLAÎT SUR LE MONDE, LA POLITIQUE, LES CAHAMELS, LE GOUVERNEMENT ET TOUT ET TOUT...

AHA! ET DU PRÉSI-DENT, PAR EXEMPLE, QU'EST-CE QU'IL DIT AUJOURD'HUI TON JOURNAL!

ZE T'EN PRIE! LE ZOU-NAL N'EST PAS OBLI-GÉ DE PARLER DE MOI TOUS LES ZOURS!

J'AI UN PROBLÈME DE CONJUGAISON. JE PEUX REGARDER DANS TON LIVRE?

BIEN SÛR! VIENS!

VOYONS... JE M'AIME, TU M'AIMES, IL M'AIME, NOUS NOUS... TU VOIS? ÇA N'Y EST PAS?

QU'EST-CE QUI N'Y EST PAS?

NOUS M'AIMONS

MAIS SUSANITA, ÇA N'EXISTE PAS!

COMMENT ÇA N'EXISTE PAS "NOUS M'AIMONS"?

EH NON! TU VOIS BIEN QUE NON!

TIENS. MOI, CE QUE JE VOIS, C'EST QUE CELUI QUI A FAIT LES VERBES, IL ÉTAIT PEUT-ÊTRE TRÈS FORT EN GRAMMAIRE, MAIS PAS DOUÉ EN ÉGOÏSME!

BONJOUR, MA CHÉRIE!

BONJSMACK!

FATIGUÉ, HEIN?

EH OUI! LA LUTTE POUR LA VIE!

LE PIRE C'EST QUE LA VIE CROIT QU'ON EST SON SPARRING PARTNER.

MAFFADITA! QUAND ZE SERAI GRAND, ZE SERAI GRAND COMMENT?

JE NE SAIS PAS, GUILLE. POURQUOI VEUX-TU LE SAVOIR MAINTENANT?

PASQUE SI ZE SUIS PETIT, ZE SERAI OBLIGÉ DE REGARDER COMME ÇA ET ZE SALIRAI LES COLS DE MES CHEMISES PA DERRIÈRE.

MAIS SI ZE SUIS GRAND, ZE SERAI OBLIGÉ DE REGARDER COMME ÇA ET ZE LES SALIRAI PA DEVANT...

Z'AIMERAIS SAVOIR SUR QUELLE RENGAINE ZE VAIS ME SÉPARER DE MA FEMME.

TU CHAIS POURQUOI LES CHENS CHE PLAIGNENT DANS CHE PAYS?

PARCHE QUE ILS N'ONT CHAMAIS EU FAIM. CH'EST POUR CHA!

LA FAIM! LA FAIM! VOILÀ CHE QU'IL FAUT DANS CHE PAYS!

VOILÀ UNE ALLUMETTE. UN TERRORISTE L'ALLUME: IL FAIT SAUTER UN GAZODUC. UN CUISINIER L'ALLUME: IL FAIT SAUTER UN LAPIN.

UN ÉTOURDI L'ALLUME: IL FAIT BRÛLER UN PARC NATIONAL. UN OUVRIER L'ALLUME: IL MET EN MARCHE UN COMPLEXE SIDÉRURGIQUE.

MOI JE L'ALLUME QU'EST-CE QUI SE PASSE?

ET ALORS? À CHACUN SON DESTIN, NON?

?

MADE IN JAPAN. AHA!

LA PUISSANCE DE L'ARGENT EST FABULEUSE! QUAND JE PENSE QU'UN JAPONAIS, À JE NE SAIS COMBIEN DE MILLIERS DE KILOMÈTRES D'ICI, INVESTIT SON CAPITAL DANS LES TAILLE-CRAYON.

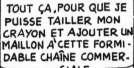
ET QUE POUR L'AMENER ICI, IL FAUT INVESTIR DES MILLIONS ET DES MILLIONS DE DOLLARS EN BUREAUX D'IMPORT-EXPORT, EN COMPAGNIES DE TRANSPORT, AGENCES DE PUBLICITÉ, DISTRIBUTEURS...

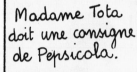
TOUT ÇA, POUR QUE JE PUISSE TAILLER MON CRAYON ET AJOUTER UN MAILLON À CETTE FORMIDABLE CHAÎNE COMMERCIALE.

Madame Tota doit une consigne de Pepsicola.

À QUELLE VITESSE VOLENT LES MOUCHES, D'APRÈS TOI?

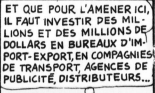
TU NE CROIS PAS QU'IL Y A DES QUESTIONS PLUS IMPORTANTES QUE CELLE-LÀ, MIGUELITO?

SI AUJOURD'HUI POUR ARRIVER À VIVRE, UN OUVRIER DOIT TRIMER SEIZE HEURES PAR JOUR, COMBIEN DE KILOMÈTRES UNE MOUCHE PARCOURT-ELLE PENDANT CE TEMPS-LÀ?

HHHHMMM! NON!

CLIC!

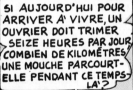

ZE SUIS BEAUCOUP MIEUX SANS LES MOUSTACHES.

COMMENT ÇA S'EST PASSÉ CETTE AFFAIRE? OU BIEN LES DEUX CHOSES SONT L'OEUVRE D'UN MÊME SADIQUE...

OU BIEN PAR PLAISIR DE NUIRE EN ÉQUIPE, UN CRÉTIN A INVENTÉ LA CUILLÈRE ET EN-SUITE UN AUTRE PERVERS A EU L'IDÉE DE LA SOUPE.

© QUINO

AAHH! IL N'Y A RIEN DE MEILLEUR QUE DE S'ÊTRE RÉSIGNÉ À CE QUE TOUT AILLE MAL, POUR SE SENTIR HEUREUX!

© QUINO

"NUL NE VAUT POUR CE QU'IL **A** MAIS POUR CE QU'IL **EST**".

DES CLOUS! SI ON N'**A** RIEN, ON N'**EST** RIEN!

© QUINO

ON A DONNÉ À MON PÈRE UNE PIÈCE AVEC UN TROU ET IL M'EN A FAIT CADEAU.

AVEC UN TROU? FAIS VOIR!

© QUINO

JE NE SAIS PAS SI JE LA GARDE COMME AMULETTE OU COMME TÉMOIGNAGE DE LA DÉCADENCE ÉCONOMIQUE...

LUTTEUR INFATIGA-BLE ET PENSEUR ILLUS-TRE.

EH OUI! MÊME FATIGUÉ, IL FAUT CON-TINUER A' LUTTER!

ATCHOUM!!

MON DIEU! MAFALDA! TU AS ÉTERNUÉ?

NON! MAIS MAINTENANT, J'AI DÉCIDÉ DE M'EXPRI-MER PAR LE NEZ, C'EST MOINS COMPROMETTANT!

ELLE NE PERD PAS UNE OCCASION.' ET MOI QUI M'INQUIÉ-TAIS DE SA SANTÉ.!!

BIEN. MAINTE-NANT, RANGEZ VOS AFFAIRES...

SAUF UN CRAYON, UNE GOMME ET UNE FEUILLE BLANCHE. ECRIVEZ: "INTERROGATION ÉCRITE".

SI ON FAISAIT AP-PEL AU BON SENS ET QU'ON REMETTE ÇA A' UN AUTRE JOUR...

JE VEUX DIRE... POUR ÉVITER UNE INUTILE HÉMORRAGIE DE ZÉROS?

BONJOUR, FELIPE! JE RÉFLÉCHISSAIS: QUELLE ATTITUDE FAUT-IL ADOPTER DEVANT LES GENS?

ÊTRE SÛR DE SOI, POUR QUE TOUT LE MONDE TE RESPECTE?

JOUER L'INDIF-FÉRENCE, POUR QUE PERSONNE NE T'EMBÊTE?

AVOIR L'AIR FRAGILE, POUR QUE TOUT LE MONDE TE PROTÈGE?

DU CHOIX QU'ON FAIT, DÉPEND TOUTE NOTRE VIE. ALORS, IL S'AGIT DE PRENDRE UNE DÉCI-SION DÈS MAINTE-NANT ET DE NE PAS SE TROMPER.

L'IMBÉCILE! ET MOI QUI NE PEN-SAIS A' RIEN!

ÇA A L'AIR CRUEL, MAIS C'EST LA VÉRITÉ.

PLUS QU'UNE VÉRITÉ, C'EST UNE LOI DE LA NATURE.

PERSONNE NE PEUT TISSER SA FORTUNE SANS TONDRE LE DOS DE SON VOISIN.

ET VAS-Y! CONTINUE! LA POLITIQUE! TOUJOURS LA POLITIQUE! J'EN AI RAS LE BOL DE LA POLITIQUE!

"LA POLITIQUE EST UN DÉSASTRE! ELLE EST LA CAUSE DE TOUS NOS MALHEURS! LA POLITIQUE PAR ICI, LA POLITIQUE PAR LA`!

TU SAIS CE QU'ON DIRAIT? QUE TU PARLES DE TA BELLE-MÈRE! VOILA` CE QU'ON DIRAIT!

SANS LES HOMMES POLITIQUES, LES HOMMES POLITIQUES NE VIVRAIENT PAS.

ILS S'ALLIENT, ILS SE BATTENT, ILS SE SÉPARENT, ILS SE RETROUVENT...

SI CE N'EST PAS DE L'AMOUR, QU'EST-CE QUE C'EST?

LA PAUVRE! CA DOIT ÊTRE GÊNANT DE NE PAS POUVOIR SE GRATTER LA` OÙ ÇA DÉMANGE!

TU NE VEUX PAS QUE JE TE GRATTE UN PEU L'IRLANDE, PAR EXEMPLE?

JE CROIS QUE J'AURAIS MIEUX FAIT DE ME TAIRE!

SGRACH GRACH GRACH SGRACH GRACH GRACH

MAIS MAMAN, LES EN-
FANTS NE PEUVENT PAS
ÊTRE SI MONSTRUEUX ET
SE LAVER SANS PROTESTER.

1725

ILS NE PEUVENT PAS ÊTRE
AUSSI DÉGÉNÉRÉS ET
MANGER SANS PARLER!

IL NE PEUVENT PAS A LA
FOIS ÊTRE INGRATS ET
ÊTRE EN BONNE SANTÉ!

CE SERAIT ÔTER A NOS
PROPRES MÈRES LEUR
OUTIL DE TRAVAIL!

© QUINO

QU'EST-CE QUE TU RE-
GARDES, MAFALDA?

LA LUTTE.

1726

MAIS... QUELLE LUTTE? C'EST
UN TÉLÉFILM!

JUSTEMENT. IL EST PASSIONNANT DE VOIR
COMMENT LE SCÉNARISTE A LUTTÉ POUR
NE PAS TOMBER DANS LES GRIFFES DE
L'INTELLIGENCE.

1727

POURQUOI CETTE
LANCE D'INCENDIE?

C'EST EN CAS DE POUS-
SÉES DE VIOLENCE, GUIL-
LE. POUR L'EXTIRPER A
LA RACINE. DÈS QU'ELLE
FAIT SES PREMIERS BOUR-
GEONS CES MESSIEURS
VONT L'ARROSER...

COMME TECHNIQUE AGRI-
COLE, C'EST UN PEU CON-
TRADICTOIRE, MAIS
IL Y A TANT DE CHOSES
CONTRADICTOIRES
QUE CE N'EST PAS
PEINE DE S'EN SOU-
CIER.

CHEZ MOI, C'EST
TOUS LES MOIS LA
MÊME CHOSE.

1728

MON PÈRE ENTRE
AVEC LE SALAIRE.
IL LE PASSE A MA
MÈRE QUI LE RÉ-
CEPTIONNE ET LE
CONTRÔLE...

MA MÈRE PROGRES-
SE QUELQUES JOURS,
TOUT EN CONTRÔLANT
LE SALAIRE. ARRIVE
UNE FACTURE. ELLE
LA PAIE ET CONTINUE
SA PROGRESSION.
DE FACTURE EN FAC-
TURE, ELLE ARRIVE A
LA MOITIÉ DU MOIS...

UN CRÉDITEUR TEN-
TE DE L'INTERCEP-
TER. ELLE LE FEINTE.
ELLE POURSUIT SON
AVANCE EN MAÎTRI-
SANT BIEN LE SA-
LAIRE. IL S'AGIT D'AR-
RIVER JUSQU'A LA
FIN DU MOIS.

GRANDE ÉMOTION!
MA MÈRE SE RAP-
PROCHE IRRÉSISTI-
BLEMENT DE LA FIN
DU MOIS! C'EST JOUA-
BLE! ELLE VA Y ARRI-
VER! ELLE TIRE AU
BUT!

MAIS SURGIT LE
26 DU MOIS QUI
ENVOIE LE SALAIRE
EN CORNER.

JE NE SAIS PAS POURQUOI MAIS IL Y A PARFOIS EN MOI DES ÉLANS INCOMPATIBLES AVEC L'ENFANCE, JE NE SAIS PAS!

?

Quand un client achète une chose, il en achète deux:

premièrement, celle qu'il croit avoir achetée deuxièmement, celle que réellement on lui a vendue.

MERDE! MES NOTES STRATÉGIQUES!

PAPA! LES ENFANTS FONT-ILS PARTIE DU PEUPLE?

BIEN ENTENDU!

MANQUAIT PLUS QUE ÇA! DÉJÀ QUE, COMME ENFANTS, ON ÉTAIT PRIVÉS DE PRESQUE TOUT...

REGARDE, C'EST JOLI! COMME ILS S'AIMENT L'ARBRE ET LE LIERRE.

OUI.

RESTE À SAVOIR SI CE N'EST PAS COMME MES VOISINS D'EN FACE, DONT ON DIT QU'IL LA SUPPORTE PARCE QU'IL NE SAIT PAS COMMENT S'EN DÉBARRASSER.

JE ME LÈVE ET JE VAIS FAIRE MES DEVOIRS.

C'EST CE QU'ON APPELLE LA VOLONTÉ À DEUX VITESSES.

LA GANG IMPLACABLE SE PRÉPARE POUR UN NOUVEAU COUP.

LAISSE TOMBER! TU CROIS QU'ON VA NOUS PRENDRE AU SÉRIEUX AVEC NOS TÊTES D'AUTOCENSURÉS!

JE T'AI DIT QUE MON PÈRE APPELAIT SON SALAIRE "LE CONCORDE"?
LE CONCORDE?

OUI. PARCEQU'IL S'ENVOLE AUSSI VITE.
AH!

IL A LE SENS DE L'HUMOUR, TON PÈRE!

JE NE SAIS PAS VRAIMENT... DIRE LES CHOSES EN PLEURANT, C'EST AVOIR LE SENS DE L'HUMOUR?

"UTILISEZ" "ACHETEZ" "MANGEZ" "ESSAYEZ"... BBBBRRR! QU'EST-CE QU'ILS CROIENT QUE NOUS SOMMES?

QU'EST-CE QUE NOUS SOMMES?

LES SALOPARDS SAVENT BIEN QUE NOUS NE LE SAVONS PAS...

OÙ COURS-TU SI VITE, GUILLE ?

ZE NE SAIS PAS, MAIS IL N'Y A PAS DE TEMPS À PERDRE !

TU PARLES D'UNE GÉNÉRATION !

FAIRE LES DEVOIRS, ADMETTONS.

PARCE QUE LES DEVOIRS SE FONT À LA MAISON. LA MAÎTRESSE LES CORRIGE CHEZ ELLE. ET TOUT CELA EST DISCRET.

MAIS ALLER AU TABLEAU RÉCITER UNE LEÇON !!!

ON N'A PAS LE DROIT D'OBLIGER QUELQU'UN À ALLER NÉGOCIER SON ZÉRO DEVANT TOUT LE MONDE.

¡BÁNG! ¡BÁNG! ¡BANG! ¡BÁNG! ¡BÁNG! ¡BÁNG! ¡BANG! ¡BÁNG! ¡BÁNG! ¡BÁNG! ¡BÁNG! ¡BÁNG! ¡BÁNG! ¡BÁNG! ¡BÁNG! ¡BÁNG! ¡BÁNG! ¡BÁNG!

HHÉÉÉ !!! OÙ AS-TU VU QU'ON POUVAIT TIRER AUTANT DE FOIS SANS RECHARGER SON REVOLVER ? UN PEU DE RÉALISME, MON VIEUX !

DANS CES CONDITIONS-LÀ, CE N'EST PAS NON PLUS LE MOMENT DE SE TIRER DESSUS DANS UN CAÑON DE L'ARIZONA... C'EST L'HEURE D'ALLER CHERCHER LE LAIT.

J'AI DIT RÉALISME, PAS RÉALITÉ.

MON PÈRE DIT QUE LA SEULE VOCATION DES GOUVERNEMENTS, C'EST D'ÉCRASER LE PEUPLE.

ARRIVE UN GOUVERNEMENT, IL ÉCRASE LE PEUPLE.

UN AUTRE LUI SUCCÈDE, IL ÉCRASE LE PEUPLE.

UN TROISIÈME, C'EST LA MÊME CHOSE.

LE PEUPLE A PEUT-ÊTRE UNE VOCATION DE POMME-PURÉE ?

PAPA! OUI?

DIS-MOI, QUAND ON ARRIVE À TON ÂGE...

ON SAIT FAIRE LA DIFFÉRENCE ENTRE UNE LIGNE POLITIQUE ET UN ZIG-ZAG IDÉOLOGIQUE OU NON?

BONJOUR SUSANITA! QU'EST-CE QUE TU ME RACONTES DE BEAU?

MERCI DE CETTE QUESTION. JUSTEMENT AUJOURD'HUI, JE ME SENS D'HUMEUR AUTOBIOGRAPHIQUE. DÈS MA PLUS TENDRE ENFANCE, MON CARACTÈRE S'EST AFFIRMÉ. JE DEVAIS AVOIR À PEINE UN AN ET DEMI, QUAND UN BEAU MATIN...

TU NE VEUX PAS QUE JE T'APPORTE UN MANCHE DE PIOCHE, MANOLITO? TU PEUX ÉCRIRE AVEC CETTE POINTE?

TU AS RAISON. JE NE M'EN RENDAIS MÊME PAS COMPTE. CE QUE JE PEUX ÊTRE BÊTE QUELQUEFOIS!

¡JRAP! ¡JRAP! ¡JRAP!

QUELQUEFOIS.

LA VIE NE DEVRAIT PAS VOUS SORTIR DE L'ENFANCE SANS VOUS ASSURER UNE BONNE SITUATION DANS LA JEUNESSE.

MAMAN, TU AVAIS LAISSÉ UN RAGOÛT AU FRIGO?

POUR-QUOI?

PARCE QUE J'AI ÉTÉ PREN-DRE UN VERRE DE JUS D'ORANGE ET...

QU'EST-CE QUE C'EST QUE ÇA?

ÇA DÉPEND. POUR TOI C'EST UN BOUT DE FAÏENCE AVEC DE LA SAUCE DES-SUS. POUR LE JOURNAL CE SERAIT UNE PREUVE DE L'AMPLITUDE DU DÉ-SASTRE.

IMAGINE-TOI QUE NOTRE VOISIN DU DESSOUS, AVANT, IL AVAIT UN EMPLOI...

QU'EST-CE QUI LUI EST ARRIVÉ?

COMME AVEC SON SALAIRE, IL NE POUVAIT PAS VIVRE, IL A ÉTÉ OBLIGÉ DE PRENDRE UN DEUXIÈME EMPLOI. MAIS ALORS, IL A EU UN PROBLÈME DE TEMPS ET IL ARRIVAIT EN RETARD À SES DEUX EMPLOIS. COMME, SI ON LE RENVOYAIT DE L'UN DES DEUX, IL N'AVAIT PAS DE QUOI VIVRE, IL A ACHETÉ UNE VOITURE À CRÉDIT POUR GARDER SES DEUX SALAIRES. IL PAIE LES TRAITES AVEC CE QU'IL GA-GNE AVEC L'EMPLOI QU'IL A PRIS PARCE QUE LE PREMIER NE LUI PER-METTAIT PAS DE VIVRE. C'EST-À-DIRE QUE MAINTENANT, POUR VIVRE, IL NE LUI RESTE PLUS QUE LE SALAIRE DU PREMIER EMPLOI, MAIS ÉVIDEMMENT, AVEC LA VOITURE, IL ARRI-VE EN AVANCE AUX DEUX, ALORS...

♪ À TABLE! ♪

AH MAIS... ENCORE?

AUJOURD'HUI AUSSI, C'EST LA SAINT POTAGE MARTYR?

QUAND ON EST PETIT, ON PEUT ÊTRE LE FILS, LE NEVEU, LE COUSIN, QUI SONT DE JOLIS NOMS...

MAIS QUAND ON EST GRAND, CELA DEVIENT HORRI-BLE!

JE TE JURE, SI UN JOUR JE DEVIENS LE BEAU-FILS DE LA BRU DE QUELQU'UN, JE ME SUICIDE SUR LE TAS...

"IL PLEUT, MON CHÉRI ! TU FERAIS MIEUX DE NE PAS ALLER À L'ÉCOLE ET DE RESTER À LA MAISON"

1753

IL PLEUT, MON CHÉRI ! TU FE- RAIS MIEUX DE METTRE TON IMPER- MÉABLE.

À UN DÉTAIL PRÈS, JE PEUX DIRE QUE JE CON- NAIS MA MÈRE COMME LA PAUME DE MA MAIN.

1954

TU ME PASSES LA GOMME, GUILLE?

ZE SUIS PAS TA BONNE.

JE NE TE LE DEMANDE PAS COMME À UNE BON- NE, MAIS COMME À UN AMI.

MERCI, GROS NAÏF.

1755

OUI. BON. TRAVAILLER POUR GAGNER SA VIE, O.K.

MAIS POURQUOI FAUT-IL QUE CET- TE VIE QU'ON GAGNE IL FAILLE LA GAS- PILLER À TRAVAILLER POUR GA- GNER SA VIE?

1756

MAMAN, QUAND TU AS RENCONTRÉ PAPA, TU AS SENTI LES FLAMMES DE LA PASSION TE DÉVORER, OU C'ÉTAIT JUSTE UNE PE- TITE ODEUR DE RÔTI?

Z'AI DIT QUE Z'IRAI PAS ME LAVER ET ZE ME LAVERAI PAS!

...ET UN PAQUET DE RIZ. C'EST TOUT?

C'EST TOUT.

FFFSSSSSS! BLOP!

TU TE RENDS COMPTE! ON NE PEUT MÊME PLUS SE FIER A' L'INSTINCT DE CONSERVATION DES TOMATES!

AUJOURD'HUI, OÙ NOUS VIVONS DANS UNE SOCIÉTÉ MODERNE?

UNE SATIÉTÉ MODERNE?

SOCIÉTÉ MODERNE!

AH! UNE ZOOCIÉTÉ MODERNE!

J'AI LU DANS UNE REVUE UN ARTICLE OÙ ON PARLAIT D'UN "SELF-MADE-MAN"!

ET C'EST QUOI, ÇA?

JE N'AI PAS ENCORE BIEN COMPRIS.

MAIS IL SEMBLE QUE SI TU ES NÉ DANS UN BERCEAU MISÉRABLE ET QUE TU FINISSES DANS UN CERCUEIL DE LUXE, TA VIE A ÉTÉ UN TRIOMPHE.

 BONJOUR, COMMENT T'AP-PELLES-TU?
MAFALDA.

 ET TU VAS A' L'ÉCOLE?

 BIEN SÛR! ET VOUS, VOUS PAYEZ VOS IMPÔTS?

 MAIS, MAMAN, C'EST LUI QUI A COMMENCÉ!

 D'ACCORD, MAIS OÙ EST LE PLAISIR DE VOIR LA JALOUSIE DES AMIES DE LA MARIÉE... LE TÉMOIN QUI A DES CHAUSSURES TROP NEUVES... LES RADINS QUI ONT FAIT DES CADEAUX MINABLES... LE PUDDING BOURRATIF QU'ON A BAPTI-SÉ GÂTEAU DE MARIAGE.

 MON PÈRE AUSSI, QUAND IL REÇOIT LA NOTE D'ÉLEC-TRICITÉ, IL DONNE SON AVIS SUR LA QUESTION.

 A BAS LA CENSU

 OU IL A MANQUÉ DE PEINTU, OU IL S'EST FAIT EMBARQ PAR LES FLI.

42

¡BANG!

ON PEUT MOURIR EN HÉROS, MAIS IL FAUT MOURIR EN HÉROS ORGANISÉ.

IL HAIT LES SUCCÈS TROP FACILES.

ON DIRAIT QU'AU-JOURD'HUI MON IMAGINATION VEUT ME FAIRE PASSER UNE DE CES JOURNÉES PLEINES D'ÉMO-TIONS.

VOUS AUSSI, MR. LE JUGE, VOUS AVEZ ÉTÉ PETIT. SOUVENEZ-VOUS QU'AU FUR ET À MESU-RE QU'ON APPROCHE DE L'ÉCOLE, ON SE SENT COMME DU PLOMB DANS LES CHAUSSURES, MR. LE JUGE.

ET QUE LES CHAUS-SURES PÈSENT DE PLUS EN PLUS LOURD, MR. LE JUGE.

VOILA' POURQUOI JE LUI AI JETÉ TROIS LI-TRES D'ESSENCE ET UNE ALLUMETTE, MR. LE JUGE. PARCE QUÉ JE NE SUPPORTAIS PLUS DE LE VOIR ME NARGUER.

ET LE JUGE NE POURRA JAMAIS ME CONDAMNER PARCE QUE JE N'AURAI JAMAIS LE COURAGE DE PASSER À L'ACTE.

PLAT DU JOUR:
SOUPE DE LÉGUMES.

COMPOSITION: 2 LITRES DE BOUILLON, 2 POIREAUX, 4 CAROTTES, 2 OIGNONS, 1 NAVET, 2 TOMATES, 1 GOUSSE D'AIL, 1/2 CHOU, 2 BRANCHES DE CÉLERI, SEL. PRÉPARATION: RÉUNISSEZ TOUS CES IN- GRÉDIENTS DANS UNE CASSEROLE...

ET JE LES ATTAQUE POUR ASSO- CIATION DE MALFAITEURS!

AUJOURD'HUI, J'AI LU DANS LE JOURNAL UNE NOUVELLE DÉ- PRIMANTE. "IL Y A DANS LE MONDE 43 MILLIONS D'ENFANTS QUI TRAVAILLENT DANS DES CONDITIONS INAC- CEPTABLES".

TU TE RENDS COMPTE? C'EST UNE INFORMA- TION QUI VIENT DE L'ORGANISATION IN- TERNATIONALE DU TRAVAIL. 43 MILLIONS D'ENFANTS QUI DOI- VENT TRAVAILLER POUR VI- VRE!

ET ALORS? C'EST NOTRE FAUTE PEUT-ÊTRE? NON! ON PEUT Y FAIRE QUELQUE CHOSE, NOUS? NON! LA SEU- LE CHOSE QU'ON PUISSE FAI- RE, C'EST DE NOUS INDIGNER ET CRIER: "C'EST UN SCANDALE."

C'EST UN SCANDALE!

ET VOILÀ! CRIE-LE TOI AUSSI: "C'EST UN SCAN- DALE!" COMME ÇA, L'AF- FAIRE SERA RÉGLÉE ET ON POURRA JOUER EN PAIX.

TU AS DÉJÀ ENTENDU PARLER D'UNE NOUVELLE COMPAGNIE DE MOUCHES QUI A DES VOLS AVEC HÔ- TESSE DE L'AIR?

C'EST AMUSANT DE VOIR LES FORMES QUE PRENNENT LES NUAGES.

CELUI-LÀ PAR EXEMPLE, A UNE FORME DE...

DE....

DE...

DE...

D'IDÉAL DÉMO- CRATIQUE?

MAIS JE TE PARIE QU'A' MA PLACE, TU N'AURAIS PAS LE COURAGE DE JOUER LE RÔLE DU TROUILLARD!

IL PRÉTEND QUE SE COIFFER AVEC UN PEIGNE, ÇA DÉFORME LES IDÉES.

LE 1ER OCTOBRE APPROCHE ET CHAQUE ANNÉE, C'EST PAREIL: *RÉDACTION:* Christophe Colomb.

Il y a très longtemps, Colomb a inventé que la terre était ronde

Alors il s'est mis à répéter partout que la terre était ronde, mais personne ne le croyait.

Le plus triste finalement, c'est que la terre était bien ronde mais le pauvre n'a jamais touché un centime de royalties. *Fin*

LALALA LA LAIRE
LALI LALALA

POPOM POPOPOM
TRALA LAITOU

PAPA PAPOM TRALALA LALITOU

VOS PARENTS NE VOUS ONT JAMAIS APPRIS A' ÊTRE DISCRETS?
LADA'A LADIII

SI! MAIS ILS ONT OUBLIÉ DE NOUS BRIDER LA SPONTANÉITÉ.
LA DA-TA

LE PIRE, C'EST QUE CETTE INDÉCISION FINALE M'A FAIT OUBLIER CE QU'ELLE DEVAIT TRANCHER.

UN JOURNALISTE ANGLAIS A CALCULÉ QU'AU COURS DES CINQUANTE PREMIÈRES ANNÉES DE CE SIÈCLE, IL Y A EU 117 GUERRES AU COURS DESQUELLES 42 MILLIONS ET DEMI DE PERSONNES ONT TROUVÉ LA MORT.

ON PEUT DIRE QUE LA MORT A BATTU LE RECORD ABSOLU DES ENTRÉES.

COMMENT, LA POLITIQUE NE M'INTÉRESSE PAS? SI LA POLITIQUE NE M'INTÉRESSAIT PAS, JE N'AURAIS PAS FAIT ATTENTION À CE QUE DISAIT MON PÈRE À MIDI!

QU'EST-CE QU'IL DISAIT?

QU'EN DÉPIT DE TOUT CE QUI AVAIT ÉTÉ FAIT, LES CONDITIONS N'ÉTAIENT PAS ENCORE RÉUNIES, TU VOIS?

LES CONDITIONS DE QUOI?

AH ÇA! JE N'AI PAS ÉCOUTÉ LA SUITE, PUISQUE LES CONDITIONS NE SONT PAS RÉUNIES, ÇA N'AURAIT SERVI À RIEN!

ET ENSUITE LA FAMILLE, EN DIVISANT L'HÉRITAGE...

IL FAUT EMPLOYER LES TERMES EXACTS, MADAME. UNE FAMILLE NE DIVISE JAMAIS UN HÉRITAGE: ELLE LE DÉBITE.

UN FERMIER A UNE PROPRIÉTÉ DE 5000 MÈTRES DE LARGE SUR 6000 MÈTRES DE LONG

POUR L'ENTOURER DE FILS DE FER BARBELÉ, IL COMMANDE LES PIEUX QU'IL DOIT PLANTER TOUS LES 20 MÈTRES. COMBIEN DE PIEUX DOIT-IL ACHETER?

VÉRIFIE. TU NE TROUVES PAS QUE ÇA FAIT UN PEU TROP?

POURQUOI? EN PLUS D'ÊTRE UN CAPITALISTE, IL EST RADIN?

PHARMACIE

JE T'AI DIT QUE MON PÈRE ÉTAIT ALLÉ CHEZ LE DOCTEUR?

LE DOCTEUR?

OUI. POUR LUI DEMANDER UN REMÈDE CONTRE LA FATIGUE, L'INQUIÉTUDE, LE SOUCI, LA NERVOSITÉ, LE DÉSÉQUILIBRE ET L'ANXIÉTÉ.

MAIS D'APRÈS LE DOCTEUR, ON N'A ENCORE RIEN INVENTÉ CONTRE LA NORMALITÉ.

LE DRAME, QUAND ON EST PRÉSIDENT, C'EST QUE SI ON ENTREPREND DE RÉSOUDRE LES PROBLÈMES, ON N'A PLUS LE TEMPS DE GOUVERNER.

TU N'ES PAS OUVERTE AU MONOLOGUE!

47

Achevé d'imprimer par l'Imprimerie du Marval, à 94400 Vitry-sur-Seine, en avril 1986 - Dépôt légal : Avril 1986